NOUVELLES

Histoires drôles

90

Texte original
Jeanne Olivier

Adaptation thématique
Paul Lacasse

Illustration de la couverture
Philippe Germain

Nouvelles Histoires drôles nº 90
Illustration de la couverture : Philippe Germain
Conception graphique de la couverture :
productions Colorimagique

Dépôts légaux : 2e trimestre 2008
Bibliothèque nationale du Québec
Bibliothèque nationale du Canada

ISBN : 978-2-7625-2944-9
Imprimé au Canada

Les éditions Héritage inc.
300, rue Arran
Saint-Lambert (Québec) J4R 1K5
Téléphone : (514) 875-0327
Télécopieur : (450) 672-5448
Courriel : information@editionsheritage.com

À tous ceux et celles
qui aiment collectionner,
écouter et raconter
des blagues.

INTERROGATIVES
Quatrième partie

Dans une animalerie :

– Bonjour madame, dit le vendeur, que puis-je faire pour vous ?

– Je voudrais échanger mon perroquet.

– Pourquoi ?

– Il n'arrête pas de conter des blagues à longueur de journée.

– Et ça ne vous plaît pas ?

– Oui, mais je les sais toutes par cœur !

•

– C'est quoi la date aujourd'hui ?

– Je ne sais pas, regarde sur le journal.

– Ah, ça ne sert à rien, c'est le journal d'hier !

•

– Qu'est-ce qui a cinq doigts, mais qui ne sait pas se servir d'un crayon ?

– Je ne sais pas.

– La main gauche d'un droitier.

•

Dominique : Comment transforme-t-on un radeau en bateau ?

Catherine : Je ne sais pas.

Dominique : En changeant la première lettre, tout simplement !

•

Au restaurant :

– Je voudrais avoir deux sandwichs au jambon, dont un sans moutarde.

– Lequel ?

•

Dans un magasin de produits de jardinage, un prêtre commande une dizaine de sacs d'engrais.

– Vous êtes loin, mon père ? demande le commerçant.

– Oh, non ! De l'autre côté de l'avenue.

– Si vous voulez, pour transporter vos sacs, je peux vous prêter un diable.

– Et bien ! pour une fois, je me laisserai tenter, répond le saint homme.

•

Un journaliste interroge un chef d'état.

– Monsieur le Président, voulez-vous dire un petit bonjour au micro ?

– Bonjour micro, dit-il.

•

Yuri : Quel est le contraire de tomber ?

Marie : Je ne sais pas.

Yuri : Rebmot !

•

Le prof : Qu'est-ce qu'une tortue ?

L'élève : C'est un animal qui rentre sa tête dans sa bouche pour dormir.

•

– Sais-tu de quelle façon commençaient les histoires qu'Adam et Ève racontaient à leurs enfants ?

– Non.

– Il sera une fois.

•

– Que disent deux fourmis qui voient passer un mille-pattes marathonien ?

– Je ne sais pas.

– As-tu vu les beaux mollets, les beaux mollets, les beaux mollets...

•

– Si tu avais une pomme, comment l'appellerais-tu ?

– Je la pèlerais avec un couteau !

•

Mona : Moi, ce que j'aime le plus à l'école, c'est le cours de musique. Et toi, qu'est-ce que tu préfères à l'école ?

Chloé : Les congés !

•

Marc : Tu sais quel est le mot le plus long du dictionnaire ?

Daniel : Camomille.

Marc : Hein ! Comment ça ?

Daniel : Mais oui, il y a un mille entre la première et la dernière lettre !

•

Une olive verte regarde une olive noire avec admiration.

– Quelle huile utilisez-vous pour bronzer comme ça ? questionne-t-elle.

•

Un Japonais rend visite à ses amis du Lac-Saint-Jean. Après le souper, il leur demande :

– Où puis-je trouver un yélo saki ?

– Un quoi ?

– Un yélo saki.

– Désolés, nous ignorons de quoi il s'agit.

– Voyons ! Tout le monde connaît ça ! On le prend dans nos mains quand il sonne et on dit :

– Yélo saki qui parle ?

•

Quel est le jour le plus long de la semaine ?

Il n'y en a pas, ils ont tous 24 heures !

•

– Comment tuer un éléphant blanc ?

– Je ne sais pas.

– Avec un fusil pour tuer les éléphants blancs !

– Comment tuer un éléphant mauve ?

– Je ne sais pas.

– On lui fait peur, il devient blanc, et on le tue avec un fusil pour tuer les éléphants blancs !

•

Que dit un escargot lorsqu'il est sur le dos d'une tortue ?

– YYYAAAAAOOOUUUUUHHHHH !

Qu'a dit Benjamin Franklin lorsqu'il a découvert l'électricité ?

– OUCH !

•

Quel est l'animal le plus sourd ?

La grenouille.

Elle dit toujours : Quoi ? Quoi ?

•

Quel animal adore les jeunes filles ?

Le croc-Odile.

•

– Qu'est-ce qui se trouve en plein milieu d'un arbre ?

– Je ne sais pas.

– La lettre b.

•

– Sais-tu comment s'appelle l'athlète qui va aux Jeux olympiques chaque année ?

– Non.

– Je t'ai eu ! Les Jeux olympiques ne se tiennent pas à chaque année !

•

Louis : Maman, est-ce que les poissons se couchent pour dormir ?

La mère : Mais non, Louis.

Louis : Alors, c'est quoi le lit de la rivière ?

•

Dring ! Dring !

– Allô ?

– À l'eau ? Plouf !

•

Pourquoi les nigauds tondent-ils le gazon avec une tondeuse électrique ?

Pour retrouver leur maison en suivant le fil.

•

Karl : Demain, j'ai un examen de maths et je ne comprends rien. Je suis découragé !

Christophe : J'ai un bon truc pour toi.

Karl : Quoi ?

Christophe : Tu n'as qu'à amener un ventilateur à l'école et le placer sur ton pupitre.

Karl : Pour que j'aie moins chaud ?

Christophe : Non, pour qu'il te souffle les réponses !

•

– Mon amour, tu ressembles à un saint.

– Tu trouves ?

– Oui, à un saint-Bernard !

•

Qu'est-ce qu'on demande à un cochon qui veut passer la frontière ?

As-tu ton passe-porc ?

•

La fille : Oh non ! Maman ! Pas ce sirop-là ! Il goûte tellement mauvais !

La mère : Cesse de faire le bébé ! Tu dois prendre ton sirop. Prends-en une gorgée en t'imaginant que c'est du lait au chocolat. Tu verras, il va mieux passer.

La fille : Maman, si je prends un bon verre de lait au chocolat en pensant que c'est du sirop, est-ce que ça fait pareil ?

•

Une dame angoissée entre au commissariat de police et elle dit :

– Ça s'est passé, il y a un mois. J'avais préparé du poulet. Mon mari est descendu chercher une boîte de petits pois à l'épicerie. Et il n'est jamais revenu ! Qu'est-ce qu'il faut faire ?

Et le flic qui répond :

– Bien, faites des frites !

•

Que faire quand on aperçoit un monstre vert ?

Attendre qu'il mûrisse.

•

Pourquoi les nigauds achètent-ils toujours des porte-monnaie à l'épreuve de l'eau ?

Pour transporter de l'argent liquide.

•

La prof : Quelle est la moitié de 8 ?

Patricia : Verticalement ou horizontalement ?

La prof : Qu'est-ce que tu veux dire ?

Patricia : Ben, horizontalement, c'est 0. Et verticalement, c'est 3 !

•

Comment peut-on reconnaître une Inuite à la mode ?

Elle a les cache-oreilles percés !

•

Roxane et Raoul se promènent dans la jungle quand ils entendent un rugissement effrayant. Ils se regardent avec inquiétude, puis voient surgir au loin un lion.

Roxane sort vite un soulier de course de son sac à dos et l'enfile. Elle en sort un deuxième et le met aussitôt.

– Mais Roxane, dit Raoul, pourquoi tu mets des souliers de course ? Tu sais bien que le lion court bien plus vite que toi de toute façon !

– Mais ce n'est pas pour courir plus vite que le lion, c'est pour courir plus vite que toi !

•

Pourquoi les mamans kangourous détestent-elles les jours de pluie ?

Parce que leurs enfants ne peuvent pas sortir jouer dehors.

•

Un professeur de religion à son jeune élève de neuf ans :

– Combien y a-t-il de sacrements ?

– Il n’y en a pas. Ma mère me dit tout le temps de ne pas sacrer !

•

À l'hôpital, une infirmière voit une patiente assise dans le corridor à côté de la porte de sa chambre.

– Mais que faites-vous là, madame ? Vous devriez être dans votre chambre, en train de vous reposer !

– Je voudrais bien, mais j'ai tellement de visiteurs que je n'arrive pas à m'endormir !

•

Mohamed : Maman, je suis désespéré ! Tu sais, le grand Tremblay, il m'a dit que la prochaine fois qu'il me verrait, il me mettrait son pied au derrière. Qu'est-ce que je devrais faire ?

La mère : J'ai un conseil à te donner. La prochaine fois que tu aperçois le grand Tremblay, assois-toi au plus vite !

•

Alexandra : Alors comme ça, tu crois que tu es meilleur que moi en mathématiques ?

Antoine : Absolument.

Alexandra : D'accord. On va voir si tu peux répondre à ma question.

Si dans un pré on trouve un fermier, son chien et ses dix vaches, combien de pieds y a-t-il en tout ?

Antoine : Facile. Il y en a 46.

Alexandra : Non, la réponse est deux. Le fermier est le seul à avoir des pieds.

•

Toute la classe de Lana est allée visiter une ferme. En sortant de l'enclos des moutons, le fermier demande aux élèves :

– Savez-vous combien de moutons nous élevons ici ?

– Oui, répond aussi vite Lana. Il y en a 212 !

– Wow! Tu m'impressionnes! Comment as-tu pu compter aussi rapidement ?

– Facile ! J'ai compté le nombre de pattes et j'ai divisé par quatre !

•

Qu'est-ce que le ketchup ?

Une tomate écrasée !

•

Minh : Pourquoi y a-t-il des lampadaires des deux côtés de la rue ?

Éloïse : Je ne sais pas.

Minh : Parce qu'il y a des chiens droitiers et des chiens gauchers !

•

Sébastien : Quel est le comble pour un barbier ?

Jean-Philippe : Je ne sais pas.

Sébastien : C'est de raser les murs !

•

Quelle est la lettre de l'alphabet la plus mouillée ?

Le « O ».

•

– Comment appelle-t-on un insecte avec le nez qui coule ?

– Une bébitte avec quelque chose dans la tête.

•

Aziz : Qu’est-ce qui a des plumes, chante, mange des graines et a cinquante yeux ?

Dorothée : Je ne sais pas.

Aziz : Vingt-cinq oiseaux.

•

Jérémie : Connais-tu la différence entre une bouilloire et un bol de toilette ?

Maxime : Non.

Jérémie : Alors ne sois pas étonné si je ne vais jamais prendre le café chez toi.

•

Un automobiliste se réveille à l'hôpital et regarde son voisin de chambre avec surprise. Il demande :

– Monsieur, vous ai-je déjà rencontré ?

– Exact ! C'est même pour ça que nous sommes ici tous les deux !

•

Une femme qui vient de perdre son mari dit en sanglotant au croque-mort :

– Son rêve, aurait été d'être enterré en smoking mais nous sommes trop pauvres pour en acheter un... Émus, les employés des pompes funèbres décident de faire quelques chose. Et le

lendemain, elle retrouve son époux vêtu d'un magnifique smoking.

– Ah mon dieu ! Quel bonheur. Combien je vous dois, Messieurs ?

– Rien du tout ! Le hasard a voulu que ce client soit mort d'une crise cardiaque en sortant d'un gala en tenue de soirée...

– Mais ça a dû vous donner beaucoup de travail...

– Pensez-vous On a juste changé les têtes !

•

L'instituteur se fâche après l'un de ses jeunes élèves :

– Comment se fait-il que tu sois toutes les trois minutes en train de regarder la pendule ?

– Eh bien, monsieur, c'est que j'ai toujours peur que la sonnerie de la récréation ne vienne interrompre votre passionnante leçon.

•

Un habitant du désert se promène sur un chameau. Il aperçoit au loin un homme seul qui marche. Il se dirige vers cet homme et se rend compte qu'il se promène en maillot de bain, avec une serviette à la main.

– Mais que faites-vous là en plein milieu du désert ? lui demande le cavalier.

– Je vais me baigner dans la mer.

– Mais, mon pauvre monsieur, la mer est à au moins trois heures d'ici !

– Eh bien, ça fait toute une plage !

•

Cathia : Sais-tu ce que c'est un réveille-matin ?

Laurent : Euh...

Cathia : C'est un appareil qui oublie de sonner le matin d'un examen important et qui fonctionne pourtant très bien le samedi matin, quand il n'y a aucune raison de se lever !

•

La mère : Pascale, tu gaspilles ton argent ! Il faut que tu fasses attention !

Pascale : Mais maman, je ne t'en demande que dans un cas particulier.

La mère : Ah oui, lequel ?

Pascale : Quand je n'en ai plus !

•

Julien et ses parents se promènent au zoo. Ils s'arrêtent devant la cage des singes.

– Papa, dit Julien, tu ne trouves pas que ce gros gorille ressemble à monsieur Laframboise ?

– Chut ! Ce n'est vraiment pas gentil ce que tu dis là !

– Mais papa, le gorille ne peut pas comprendre !

•

– Qu'est-ce qui a 34 jambes, 9 têtes et 2 bras ?

– Je ne sais pas.

– Le père Noël et ses rennes.

•

Il y a dix participants à un concours de plongeon. Neuf des plongeurs seulement ont les cheveux mouillés.

Pourquoi ?

Parce que le dixième est chauve !

•

À quel moment cueille-t-on les framboises ? interroge le professeur.

– Quand le propriétaire du champ est absent ! répond Jeannot.

•

Au magasin :

– Avez-vous du fil invisible ?

– Non, je n'ai jamais vu ça ici !

•

– Mon père a la pire mémoire du monde entier.

– Pourquoi, il oublie tout ?

– Non, il se souvient de tout...

•

Y a-t-il une différence entre un bébé et les freins d'une auto ?

Non.

Quand ils crient, il faut les changer !

•

– Papa, est-ce que c'est vrai que les baleines mangent des sardines ?

– Oui.

– Mais comment font-elles pour ouvrir la boîte ?

•

Rosalie : Pourquoi les moutons blancs mangent plus que les moutons noirs ?

Gina : Je ne sais pas.

Rosalie : Parce qu'ils sont beaucoup plus nombreux !

•

À quel endroit peut-on être sûr de trouver des enfants qui viennent de jouer dans la boue ?

Sur un sofa blanc.

•

Deux bûcherons s'en vont en forêt. L'un d'eux tombe dans un lac. L'autre le sort vite de l'eau et lui fait quoi ?

Le bûche à bûche.

•

Jasmine : J'ai assez mal dormi la nuit dernière !

Caty : Pourquoi, tu as fait des cauchemars ?

Jasmine : Non, mais j'ai confondu le cordon de ma couverture électrique avec celui du grille-pain et j'ai sauté toute la nuit !

•

La prof : François, quand on entre en classe, on enlève sa casquette.

François : Mais je n'ai pas ma casquette, madame.

La prof : Ah non ? Qu'est-ce que tu as sur la tête, alors ?

François : La casquette de mon frère.

•

Un garçon, très naïf, demande à sa tendre fiancée :

– Naturellement, ta sœur Isabelle viendra à notre mariage.

– Ah ! non ! Sûrement pas.

– Et pourquoi donc ?

– Voyons, le temps qu'on sera à l'église et à la mairie, il faut bien que quelqu'un se dévoue pour garder mes enfants.

•

Quel est l'objet défectueux pour lequel aucun client n'est jamais venu se faire rembourser ?

Un parachute !

•

– Hier soir, je suis allé jouer au parc et je suis rentré tard à la maison.

– Ouf ! Qu'est-ce que tu as dit à ta mère ?

– Moi, rien. Mais elle, je te jure qu'elle en avait long à dire !

•

Qu'est-ce qu'un chien ?
– Je ne sais pas.
– Un saucisson sur pattes.

•

Qu'est-ce qui est orange à l'extérieur et vert à l'intérieur ?

Un autobus scolaire rempli de grenouilles !

•

Quelle est la différence entre un babouin et un voleur ?

Aucune, les deux ont la peau lisse (police) aux fesses !

•

Kim : Sais-tu pourquoi le Père Noël est gros ?

Marianne : Non.

Kim : Parce que dans chaque maison qu'il visite, on lui laisse du lait et des biscuits.

•

Maude : Quelle différence y a-t-il entre un crocodile et un tigre ?

Bernard : Je ne sais pas.

Maude : Aucune. On est aussi content que les deux habitent sur un autre continent !

•

La patiente : Docteur, j'ai tendance à engraisser à certains endroits. Qu'est-ce que je devrais faire ?

Le docteur : Tenez-vous loin de ces endroits !

•

– Simon, as-tu changé l'eau de tes poissons ?

– Non, ils n'ont pas encore fini de boire celle que je leur ai donnée hier !

•

Quelle est l'opération qu'on ne fait jamais dans les hôpitaux ?

L'opération Nez-rouge !

•

Qu'est-ce qui habite un palais et possède une collection de couronnes ?

La langue.

•

Quel animal est toujours prêt à dormir ?

Le zèbre, il est toujours en pyjama !

•

Le prof : Louis, je t'ai entendu traiter Éloi d'imbécile. Est-ce que tu le regrettes ?

Louis : À vrai dire, je regrette de ne pas le lui avoir dit avant !

•

– Qu'obtient-on quand on croise un mille-pattes avec un guépard ?

– Je ne sais pas.

– Un animal qui court plus vite que tous les autres, mais qui prend la journée pour mettre ses souliers de course !

•

Lucie offre des bonbons à sa petite nièce Catherine.

– Qu'est-ce qu'on dit à Lucie ? dit la mère de Catherine.

– Encore ?

•

– Qu'est-ce que l'astronaute Neil Armstrong a fait après avoir mis un pied sur la Lune ?

– Je ne sais pas.

– Il a mis l'autre.

•

– Pardon, madame, pouvez-vous me dire où se trouve le terminus d'autobus ?

– Juste en face de vous, monsieur.

– En face ?

– Eh oui ! Mais si vous préférez, vous pouvez vous retourner, alors il sera derrière vous...

•

– J'aimerais tellement avoir assez d'argent pour m'acheter une girafe !

– Franchement ! Veux-tu bien me dire ce que tu ferais avec une girafe ?

– Rien, je voudrais juste avoir l'argent !

•

Quel est le dessert préféré du bûcheron ?

La bûche au chocolat.

•

Jérémie aperçoit son père dans son atelier debout sur une boîte déposée sur une chaise.

– Voyons, papa ! C'est bien trop dangereux ce que tu fais là !

– Il faut absolument que je réussisse à attraper quelque chose sur la dernière tablette.

– Tu vas de faire mal ! Pourquoi tu ne prends pas l'escabeau ?

– C'est justement ce que j'essaie d'atteindre...

•

Où peut-on voir écrit : « Après la pluie, le beau temps » ?

Ici, sur cette page.

•

Au guichet du cinéma :

– Bonjour, je voudrais un billet s'il vous plaît.

– Bien sûr, monsieur. C'est pour « Le Fugitif » ?

– Non, non. C'est pour moi !

•

Au magasin :

– Je peux vous aider, madame ?

– Oui monsieur, je cherche des souliers de crocodile.

– Très bien, quelle pointure chausse votre crocodile ?

•

Qu'est-ce qui est noir et blanc et qui fait beaucoup de bruit ?

Un zèbre qui joue de la batterie.

•

– Garçon, apportez-moi un café sans crème..

– Désolé, madame, nous manquons de crème. Puis-je vous servir un café sans lait ?

•

Quelle différence y a-t-il entre un klaxon et un homme qui a la main prise dans la porte de l'ascenseur ?

Aucune. Les deux crient.

•

Dominique : Connais-tu la différence entre une table de billard et ton équipe de hockey préférée ?

Mario : Non.

Dominique : La table de billard a juste six poches...

•

Normand : Je viens d'apprendre que mon voisin a attrapé la fièvre jaune.

Mathieu : Oh là là ! C'est très dange-

reux, cette maladie-là. Ou bien tu meurs, ou bien tu deviens fou !

Normand : Ah oui ? Comment ça se fait que tu sais ça ?

Mathieu : Je l'ai déjà attrapée.

•

Mohamed : Est-ce que tu sais si Astérix était tannant quand il était petit ?

Alberto : Oh non ! Il était sage comme une image !

•

– Mon voisin veut entrer dans la marine.

– J'espère qu'il sait nager, au moins !

– Quoi, la marine n'a pas de bateaux ?

•

Quel est le sujet de conversation préféré des archéologues ?

Le bon vieux temps !

•

Qu'est-ce que la grande cheminée dit à la petite cheminée ?

Tu es trop petite pour fumer !

•

Gilberto : Maman, est-ce qu'on dit un mensonge ou une menterie ?

La mére : Ni l'un ni l'autre, mon grand, on dit la vérité !

•

– Docteur, je crois que le gros champignon que mon chien vient d'avaler est bel et bien empoisonné.

Le malheureux chien, après bien des efforts, est parvenu à vomir le champignon.

– Bon, fait le docteur, ce champignon, as-tu vu s'il est sorti par la tête ou par la queue ?

– Par la bouche, Docteur... par la bouche !

•

Le garagiste procède à un examen complet de la voiture de monsieur Latour, puis lui dit :

– Monsieur Latour, j'ai une bonne et une mauvaise nouvelle pour vous.

– Ah oui ? Commencez donc par la bonne.

– Votre klaxon est en parfait état de marche...

•

– Aimes-tu les citrons ?

– C'est sûr !

•

– Tu sais quelle heure il est quand l'horloge de l'hôtel de ville sonne treize coups ?

– Non.

– L'heure de la faire réparer !

•

Comment appelle-t-on un éléphant qui est mort ?

Un éléphantôme.

•

Quels lapins ont les plus petits pieds ?

Les plus petits lapins.

•

Sébastien prend un rendez-vous avec un psychologue.

– Docteur, j'aime l'école. Pouvez-vous faire quelque chose pour moi ?

•

– Qui a vissé la première vis de la première maison de la première ville du Québec ?

– Je ne sais pas.

– Le tournevis !

•

Deux amis discutent dans la cour de récréation :

– À quelle heure tu te réveilles le matin ?

– Oh, environ une heure après le début des cours !

•

Voulez-vous une blague plate ?
– Assiette.

•

Deux nigauds discutent :
– Vois-tu la forêt là-bas ?
– Non, les arbres me cachent la vue.

•

Élisabeth : Comment appelle-t-on un chien qui a eu un coup de soleil ?
Pierre : Je ne sais pas.
Élisabeth : Un chien-chaud.

•

Un nigaud rencontre une jeune fille.
– Que faites-vous dans la vie ?
– Je travaille dans un bureau.
– Ah oui ? Dans quel tiroir ?

•

Comment s'appelle le meilleur concierge hongrois ?
Ipas Lebalè.

•

– Hum! Il est bon ton poulet! Qu'est-ce que tu as mis dedans?

– Rien, quand je l'ai acheté, il était déjà plein!

•

Nathan: Qu'est-ce que ça veut dire «coïncidence»?

Francis: Ah ça c'est drôle. J'allais justement te poser la même question.

•

Deux représentants de commerce discutent.

– Comment fais-tu toi pour deviner qui est réellement le chef de famille dans une maison, et qui prendra la décision de passer une commande?

– Facile! mon vieux, c'est simplement une question d'expérience. Il suffit de regarder le chien, lui il ne se trompe jamais. Il le sait qui est le vrai maître!

•

Le prof : Que dois-tu faire quand tu te promènes en forêt et que tu vois un ours ?

L'élève : Espérer que l'ours ne me voie pas !

•

– Qu'est-ce que tu fais ?

– J'écris.

– Tu écris quoi ?

– Une lettre.

– À qui ?

– À moi.

– Et qu'est-ce que tu dis ?

– Je ne sais pas, je te le dirai quand je la recevrai !

•

– Sais-tu pourquoi la girafe a un si long cou ?

– Non.

– Parce qu'elle est incapable de supporter l'odeur de ses pieds !

•

Quel est le jour de l'année le plus savant?

Le 7 août (sait tout).

•

Madame Poitras a envoyé sa fille faire des commissions. À son retour, elle lui demande:

– Sophie, as-tu vu si le boucher avait des pattes de cochon?

– Non, je n'ai pas vu, il avait ses souliers.

•

Armande: Quelle est la différence entre un o et un 8?

Julien: Je ne sais pas.

Armande: Le 8 porte une ceinture.

•

Sonia: Simon, qu'est-ce que les éléphants sont les seuls à avoir?

Simon: Euh...

Sonia: des éléphanteaux.

•

Safia : Pourquoi les bateaux flottent sur l'eau ?

Ursula : Je ne sais pas.

Safia : Parce qu'ils ne peuvent pas flotter dans le ciel !

•

Natacha : Sais-tu comment s'appelle le plus vieil habitant de l'Italie ?

Danielle : Non.

Natacha : Pépère Oni !

•

Le père : Qu'est-ce que tu fais dans ta chambre ?

La fille : Je ne fais rien.

Le père : Et ton frère, que fait-il ?

La fille : Il m'aide !

•

Pourquoi ma sœur va-t-elle toujours au magasin de disques ?

L M H T D C D (Elle aime acheter des CD)

•

Jérémie : Maman, sais-tu où se trouve le Guatemala ?

La mère : Non, mais demande donc à ta sœur, c'est elle qui a fait le ménage cette semaine !

•

– Pourquoi offre-t-on des fleurs à une fermière ?

– Je ne sais pas.

– Parce qu'un ballot de laine, c'est trop pesant.

•

Une jeune fille est assise au bord de la rue, tendant une ligne à pêche au-dessus d'une flaque d'eau.

Un passant la regarde. Amusé, il lui demande :

– Est-ce que ça mord ?

– Oh oui ! Vous êtes le cinquième que j'attrape !

•

La mère : Julien, la laitue a vraiment un drôle de goût. L'as-tu bien lavée ?

Julien : Mais oui maman, tu ne vois pas les restes de savon ?

•

Le dompteur et le patron du cirque sont en grande conversation. Le patron demande au dompteur :

– Comment avez-vous commencé à dresser les éléphants ? Est-ce qu'il y a longtemps que vous faites ça ?

– Ça ne fait pas très longtemps. J'ai commencé par dompter les puces. Mais je suis devenu myope !

•

Deux murs discutent :

– Ce soir, il y a une fête chez la voisine. Est-ce qu'on y va ensemble ?

– D'accord, je passe te chercher au coin !

•

Sonia : Qu'est-ce qu'on dit du pop-corn qui fait de l'exercice ?

Mathieu : Je ne sais pas.

Sonia : Que c'est du maïs essoufflé !

•

– Jeanne, demande le professeur, est-ce que tu peux conjuguer le verbe marcher au présent ?

– Je marche... tu marches... il marche...

– Plus vite, Jeanne !

– Nous courons, vous courez, ils courent.

•

Pourquoi les fakirs emportent toujours un porc-épic en voyage ?

Parce qu'ils ne partent jamais sans leur oreiller !

•

Un chef d'état africain prend l'avion pour se rendre à l'O.N.U. Une heure après le décollage, l'hôtesse lui demande :

– Désirez-vous boire quelque chose ?

– Certainement. Un whisky...

– Un whisky comment ?

– Un whisky, s'il vous plaît, mademoiselle.

•

Émile se promène sur le trottoir quand il rencontre une vieille dame qui lui demande :

– Mon petit, pourrais-tu m'aider à traverser la rue ?

– Mais bien sûr. Est-ce que vous habitez en face ?

– Non, mais j'ai stationné ma moto de l'autre côté !

•

Au restaurant :

– Garçon, avez-vous des cure-dents ?

– Non, monsieur. Mais je peux vous servir un sandwich au cactus.

•

David : Ma sœur est très dépensière. Sais-tu quelles sont ses quatres lettres préférées ?

Thomas : Non.

David : L.M.H.T.

•

À l'hôpital :

– Mon cher monsieur, dit le docteur, j'ai une nouvelle extrêmement mauvaise à vous apprendre.

– Quoi, docteur ?

– Il ne vous reste que deux semaines à vivre.

– Ah oui ? Eh bien, je vais prendre les deux dernières de juillet !

•

– Dis donc, Julien, tu es vraiment lambin ! Est-ce que ça t'arrive d'être rapide ?

– Oui. Personne ne se fatigue aussi vite que moi !

•

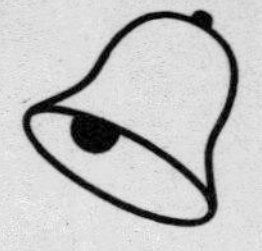

Un routier passe la frontière au volant de son 15 tonnes.

Le douanier lui demande :

– Qu'est-ce que vous transportez ?

– 10 tonnes d'huîtres.

– Ouvrez-les...

•

Maurice emmène son ami dans sa cour. Il lui montre sa remise qui mesure 20 mètres sur 10 mètres.

– Qu'est-ce qu'il y a là-dedans ?

– Ma collection.

– Mais c'est immense ! Qu'est-ce que tu collectionnes au juste ?

– Les collections !

•

Une mère demande à sa fille après sa première journée à l'école :

– Et puis, as-tu appris des choses intéressantes aujourd'hui ?

– Oui, mais pas assez. Il faut que j'y retourne demain !

•

Madame Lambert : Sais-tu comment je vais appeler mon fils ?

Madame Vallée : Non.

Madame Lambert : Je vais l'appeler PC.

Madame Vallée : Pourquoi ? C'est un nom plutôt ridicule.

Madame Lambert : Ah oui ? Mon voisin a bien appelé son enfant RV (Hervé) !

•

– Le médecin m'a donné des pilules miracle pour les troubles de la mémoire.

– Est-ce qu'elles t'ont fait du bien ?

– Pas vraiment. Je n'ai pas pensé une seule fois à les prendre.

•

Zoé : Qu'est-ce qui est rouge et vert ?

Patricio : Je ne sais pas.

Zoé : Une tomate moisie !

•

Qu'est-ce qui fait le tour de la cour, mais ne bouge pas ?

La clôture.

•

Comment s'appelle l'Allemande la plus légère ?

Éva Senvoler.

•

Pourquoi le Père Noël porte-t-il des bretelles blanc et rouge ?

Pour tenir son pantalon.

•

– Connais-tu le gag au sujet de l'abominable Homme des neiges ?

– Ces histoires me laissent froid.

•

Qu'est-ce qu'on peut retenir sans y toucher ?

Son souffle.

•

– Sais-tu pourquoi les chiens regardent à gauche puis à droite avant de traverser la rue ?

– Non.

– Parce qu'ils ne peuvent pas regarder des deux côtés en même temps.

•

À quel moment un Japonais dit-il bonjour ?

Quand il a appris le français.

•

Sophie rencontre Antoine dans le corridor de l'école :

– Antoine, tu viens chez moi ce soir ? Je fais une fête !

– Ah oui ! Et il y aura beaucoup de monde ?

– Bien... si tu n'oublies pas de venir, on sera deux !

•

– Deux oiseaux sont sur un fil. Un des deux décide de partir. Combien en reste-t-il ?

– Facile ! Un.

– Non, deux, parce que l'oiseau a seulement décidé de partir.

•

Quelle partie du poulet les Italiens préfèrent-ils ?

Les pattes (pâtes) !

•

Brigitte revient de sa première journée en première année.

– Alors Brigitte, lui demande son père, est-ce que tu as aimé l'école ?

– Bof! La maîtresse n'a pas arrêté de nous faire répéter les lettres de l'alphabet toute la journée !

– Mais tu ne veux pas apprendre, ma chérie ?

– Non, je ne veux pas apprendre. Je veux savoir !

•

Que fait le coq pour gagner sa vie ?

Il pose pour les boîtes de Corn Flakes !

•

François s'approcha de l'échelle au haut de laquelle se tenait Pierre qui peignait le plafond.

– Pierre, est-ce que tu tiens solidement ton pinceau ?

– Oui et pourquoi ?

– C'est que je vais emprunter l'échelle pour quinze minutes.

•

Quel est le genre de plante qu'on retrouve le plus dans les rivières ?

Les plantes mouillées.

•

Comment s'appelle le chien qui jappe chaque fois qu'il va faire son petit tour dehors ?

Le chihuahua.

•

Qu'est-ce qui est plein de trous et qui retient l'eau ?

Une éponge.

•

Deux copines discutent :

– Je me pose une question depuis longtemps.

– Quoi ?

– Je me demande pourquoi les dindes ne se cachent pas un mois avant Noël !

•

– Savez-vous comment faire patienter quelqu'un ?

– Bien sûr !

– Comment faites-vous ?

– Je vous le dirai plus tard !

•

Quel est le comble de la paresse ?

Mettre son réveil tôt le matin pour avoir plus de temps à ne rien faire.

•

À la foire, un monsieur voit une pancarte qui dit « Gagnez 500$ si vous réussissez à faire dire oui et non à mon cheval. » Le monsieur s'approche du cheval. Le propriétaire voit son cheval faire oui et non de la tête.

– Comment avez-vous fait ?

– Je lui ai donné un grand coup de pied et lui ai demandé s'il voulait que j'arrête. Il a dit oui. Je lui ai demandé ensuite s'il avait aimé ça. Il a dit non !

•

Un bon soir, pendant le souper, le père de Gabrielle se lève de table en disant :

– Je ne suis pas dans mon assiette, je vais me coucher.

Le lendemain matin, Gabrielle refuse de manger ses céréales. Son père s'inquiète et lui demande si elle va bien.

– Je ne suis pas dans mon bol..., répond-elle.

•

La maman de Pierrot va voir l'instituteur :

– Dites-moi, pourquoi Pierrot a-t-il toujours des zéros ?

– Parce qu'il n'y a pas de notes en dessous !

•

La petite Marianne demande à son grand-père :

– Dis, grand-papa, comment s'habille-t-on quand il fait froid ?

– Voyons, Marianne, en vitesse !

•

Monsieur Dupuis roule tellement lentement qu'il bloque la circulation. Un policier l'arrête :

– Monsieur, savez-vous que vous roulez à peine à 30 km/h ?

– Je sais bien, mais je m'en vais chez le dentiste...

•

Qu'est-ce qui est jaune, lisse et très dangereux ?

– De la moutarde infestée de requins.

•

Deux vers de terre discutent :

– Que fais-tu pendant tes vacances ?

– Je crois que je vais aller à la pêche !

•

– As-tu passé de belles vacances à la mer, Céleste ?

– Oui, il a plu seulement trois jours.

– Et le reste du temps ?

– Quel reste ? Je suis juste partie trois jours !

•

Qu'est-ce que le téléphone ?

C'est un appareil de communication qui sonne juste au moment où vous êtes sous la douche !

•

Qu'est-ce qu'un réveille-matin ?
C'est un coq domestique.

•

Quel est le point commun entre un robot et des spaghettis à la bolognaise ?

– Je ne sais pas.

– Ils sont tous les deux automates (aux tomates) !

•

Je suis un nez que les profs d'éducation physique aiment beaucoup.

Un nez-xercice.

•

Pourquoi un nigaud apporte toujours un revolver aux toilettes?

Pour pouvoir tirer la chaîne !

•

Quelle est la fleur la plus intellectuelle ?

La pensée.

•

– Savais-tu que je peux sauter plus haut qu'une maison ?

– Bien sûr, les maisons ne savent pas sauter !

•

C'est quoi la différence entre un épicier et un libraire ?

Un compte par kilos, l'autre par livres.

•

Comment s'appelait le premier ballon de l'univers ?

Le ballonosaure.

•

Dans un salon :

– Luc, pourquoi bouges-tu toujours ton pied ?

– C'est pour empêcher les loups de s'approcher de Robert.

– Mais il n'y a pas de loups ici.

– Eh bien ! Tu vois, ça marche, mon truc !

•

– Connais-tu le chanteur préféré des millionnaires ?

– Non.

– C'est Johnny Cash !

•

– Connais-tu le comble de la laideur ?

– Non.

– C'est quand tu visites un magasin d'animaux, que tu vois un perroquet, que tu veux lui faire répéter la phrase «Je suis laid» et qu'il dit : «Tu as raison ! »

•

Deux pêcheurs sont sur le bord du lac :

– Moi je pêche à la mouche. Je trouve que c'est la meilleure méthode. Et toi ?

– Moi je pêche aux allumettes.

– Hein ? Qu'est-ce que tu réussis à attraper avec ça ?

– Du saumon fumé !

•

Deux profs discutent :

– Depuis combien de temps enseignes-tu ?

– Attends que je compte. J'ai passé 8 ans à l'école Notre-Dame, 3 ans à l'école des Sources et c'est ma 5e année ici. Alors, ça fait 8 plus 3 plus 5... euh... Laisse-moi réfléchir... Voilà ! Ça fait 16 ans que j'enseigne les mathématiques !

•

– Qu'obtient-on quand une vache et une poule se battent ?

– Je ne sais pas.

– Une omelette !

•

Dans un cours de cuisine :

– Et quand vous servez une tête de cochon, n'oubliez pas le persil dans les oreilles et la pomme dans la bouche.

– Monsieur, dit un élève au prof, vous ne trouvez pas qu'on va avoir l'air fou comme ça ?

•

Le prof : Un dollar plus un dollar, qu'est-ce que ça fait ?

L'élève : Ça fait deux paquets de gomme à mâcher.

•

Madame Simard essaie un chapeau dans un grand magasin du centre-ville. Le vendeur lui dit :

– Chère madame, ce chapeau vous rajeunit de dix ans !

– Ah oui ? Eh bien, je ne le prendrai pas !

– Mais pourquoi donc, madame ?

– Je n'ai vraiment pas envie de vieillir de dix ans chaque fois que j'enlève mon chapeau.

•

Raoul : Maman, dehors il y a un homme avec un bras dans le plâtre qui s'appelle Normand.

La mère : Ah bon ! Et comment s'appelle son autre bras ?

•

– Mon coiffeur a une drôle de méthode.

– Qu'est-ce qu'il fait ?

– Il raconte toujours des histoires d'horreur à ses clients.

– Pourquoi ?

– Il dit que ça fait dresser les cheveux sur la tête et que son travail est alors beaucoup plus facile !

•

Quelle différence y a-t-il entre une gomme et un avion ?

La gomme colle, l'avion décolle !

•

– Comme ta mère tricote vite.

– Oui, je crois qu'elle se dépêche de finir avant de manquer de laine.

•

– Qu'est-ce qu'il est impossible de manger au déjeuner ?

– Je ne sais pas.

– Le dîner ou le souper !

•

Dans une grande firme de comptables, le patron entre en trombe dans le bureau, complètement affolé.

– Le système informatique vient de sauter ! Y a-t-il quelqu'un ici qui se rappelle encore comment compter ?

•

Au restaurant, le client consulte la carte et appelle le serveur :

– Je vois, dans les « spécialités maison », poulet à la Mercedes... Qu'est-ce que c'est exactement ?

– Un volatile que le patron a écrasé ce matin !

•

– Je vous dois combien ? demande le client au chauffeur de taxi.

– Treize dollars.

– Oh ! là là, vous ne pourriez pas reculer un peu, je n'ai que douze dollars !

•

Un voyageur épanoui monte dans un train à la gare de Lyon. Il a pris un porteur et celui-ci engage la conversation :

– Alors on part en vacances ?

– Non, fait le type, je vais en voyage de noce à Capri.

– Ah ! C'est bien, ça. Mais alors, votre femme vous attend là-bas ?

– Non ! elle est restée à la maison pour garder les gosses...

•

Pourquoi les bélugas sont-ils tristes ?

Parce qu'il n'y a pas de bélufilles.

•

Le professeur : Si vous additionnez 1332 et 5207, que vous multipliez la réponse par 3 et que vous divisez le tout par 9, qu'est-ce que vous obtenez ?

Tom : La mauvaise réponse...

•

– Quel est le dessert que les petits démons détestent ?

– Je ne sais pas.

– Le gâteau des anges !

•

Monsieur Dupuis, qui prend le bateau pour la première fois, est un peu inquiet. Il décide d'aller voir le capitaine.

– Dites-moi, capitaine, est-ce qu'un bateau coule souvent ?

– Non. La plupart du temps, il coule une fois et reste au fond de l'eau !

•

Au cimetière, un Québécois dépose des fleurs sur une tombe. À côté de lui, un Chinois dépose un bol de riz près de la tombe voisine.

– Dites donc, quand croyez-vous que votre défunt viendra manger le riz ?

– Quand la vôtre viendra sentir les fleurs !

•

Au restaurant :

– Monsieur, votre pizza, vous voulez qu'on la coupe en quatre ou en huit pointes ?

– Oh, en quatre ! Je n'ai vraiment pas assez faim pour en manger huit !

•

Un nouveau cirque vient d'arriver en ville. Tout à coup, un bruit assourdissant attire l'attention et la tente du cirque s'effondre.

Puis, on entend quelqu'un crier :

– Qui est l'imbécile qui a donné de la poudre à éternuer à l'éléphant ?

•

Deux amoureux timides se fréquentent depuis quinze ans. Un beau matin, la fille ne peut plus résister et elle dit à son prétendant :

– Oscar, ne croyez-vous pas qu'il serait temps de songer à nous marier ?

– Je veux bien, répond-il pensivement, mais qui voudra de nous ?

•

Quel est le comble pour une personne bavarde ?

Aller à la plage et attraper un coup de soleil sur la langue !

•

Marguerite : Maman, si je plante ce pépin, est-ce qu'il deviendra un pommier ?

Maman : Mais oui !

Marguerite : Eh bien c'est bizarre, parce que c'est un pépin de poire !

•

Diane : Que fais-tu quand un éléphant vient s'asseoir devant toi au cinéma ?

Jean-Étienne : Je ne sais pas.

Diane : Tu rates le film.

•

Qu'est-ce qui est rond, petit et vert ?

Un petit rond vert !

•

– Mon père a installé quatre antennes sur sa voiture.

– Pourquoi ?

– Parce qu'il a quatre pneus radiaux...

•

Quel est l'arbre le plus près de nous ?

– Le cyprès.

•

Quel est le comble de la science ?

– Un cheval-vapeur qui mange des racines carrées dans un champ magnétique

•

– À qui appartient le gros pit-bull dehors ? demande le petit Tom.

– C'est à moi, répond un gros costaud. Est-ce qu'il y a un problème ?

– Euh... c'est-à-dire qu'il est mort le gros pit-bull.

– Qui a fait ça ? hurle le costaud.

– C'est mon chiwawa, monsieur.

– C'est impossible, mon pit-bull est le plus fort !

– Ben voyez-vous, monsieur, en essayant de manger mon chiwawa, votre chien s'est étouffé !

•

– Qu'est-ce que tu ne peux pas faire si tu mets 150 paires de bas dans ta commode ?

– Je ne sais pas. Quoi ?

– Fermer le tiroir !

•

Quel est le comble de la malchance ?

Se faire renverser par un camion, et puis être frappé par un avion pendant qu'on monte au ciel !

•

Que fait une tortue sur une autoroute ?

Elle fait environ un kilomètre à l'heure

•

Sur les bateaux, pourquoi il n'y a jamais de bleuets, mais qu'il y a beaucoup de petits pois verts ?

Parce que les bleuets ont le mal de mer !

•

Le juge : Alors, monsieur, vous dites que tout ce que vous avez fait à votre voisin c'est de lui lancer des tomates ?

L'accusé : Oui, monsieur le juge.

Le juge : Pouvez-vous me dire alors, pourquoi votre voisin s'est retrouvé à l'hôpital ?

L'accusé : C'est que les tomates étaient en conserve...

•

– Qui exerce le métier le plus dangereux ?

– Je ne sais pas.

– Le dentiste de Dracula !

•

Une vieille dame consulte son médecin et se plaint d'avoir mal à un genou.

– Chère madame, lui dit le docteur, c'est probablement une question d'âge.

– Dans ce cas-là, pourquoi je n'ai pas mal aux deux genoux ? Ils ont pourtant le même âge !

•

Sais-tu pourquoi l'océan est salé ?

– Non.

– Parce que les poissons n'aiment pas le poivre !

•

Deux voisins discutent :

– Ton chien a encore jappé toute la nuit. Tu sais que c'est un signe de mort !

– Ah oui ? La mort de qui ?

– Celle de ton chien, s'il recommence une autre nuit !

•

– Je suis allé voir un psychologue pour mes problèmes de mémoire.

– Qu'a-t-il fait ?

– Il m'a fait payer à l'avance !

•

– Sais-tu pourquoi les nigauds portent des verres fumés quand ils vont à la pêche ?

– Non.

– Au cas où ils attraperaient un néon ! (poisson néon)

•

Une dame appelle à l'école un matin de grosse tempête :

– Je suis très inquiète ! Je voudrais savoir si mon fils est bien arrivé à l'école.

– Bien sûr, lui répond la secrétaire. Dites-moi le nom de son professeur, s'il vous plaît.

– Il n'a pas de professeur ! Mon fils est le chauffeur d'autobus !

•

Pourquoi les vieux singes n'épluchent pas les bananes avant de les manger ?

– Je ne sais pas.

– Parce qu'ils savent déjà ce qu'il y a dedans.

•

Je suis un nez très rouge.

Un nez-carlate.

•

Bill et Toto sont en voyage à Londres. Ils font leur première promenade dans un autobus à deux étages. Bill va faire un petit tour au deuxième et redescend blanc comme un drap.

– Qu'est-ce qui t'arrive ? lui demande Toto.

– Écoute, j'ai une chose à te dire : moi je ne remonte plus là-haut !

– Pourquoi ?

– Il n'y a même pas de conducteur là-haut !

•

Myriam : Moi, à l'Halloween, je me déguise en banane. Et toi ?

Marie-France : Moi ? En étoile.

Myriam : Pourquoi ?

Marie-France : Parce que c'est plus brillant !

•

Quel est le comble pour un astronaute ?

Être dans la lune.

•

Hubert : Sais-tu pourquoi les éléphants mettent du vernis à ongles rouge ?

Patrice : Non.

Hubert : Pour mieux se cacher dans les pots de confitures aux fraises.

Autres thèmes

dans la collection

BLAGUES À L'ÉCOLE (3 livres)
BLAGUES EN FAMILLE (4 livres)
BLAGUES AU RESTO (1 livre)
BLAGUES AVEC LES AMIS (6 livres)
BLAGUES INTERROGATIVES (4 livres)
DEVINETTES (1 livre)
BLAGUES À PERSONNALISER (3 livres)
BLAGUES COURTES (2 livres)
BLAGUES CLASSIQUES (1 livre)
BLAGUES DE NOUILLES (2 livres)
BLAGUES DE GARS ET DE FILLES (2 livres)

CONCOURS

Presque aussi drôle qu'un Ouistiti!

On te dit que tu es un bouffon,
un(e) petit(e) comique,
un drôle de moineau?
Peut-être as-tu des blagues
à raconter? Envoie-les-nous!
Tu auras peut-être
la chance de les voir publiées!

Fais parvenir ton message
à l'adresse qui suit:
Droledemoineau@editionsheritage.com

À très bientôt...